To
From

致加西亚的信

[美] 阿尔伯特·哈伯德 著
赵立光　艾柯　译

哈尔滨出版社

图书在版编目（CIP）数据

致加西亚的信／(美)哈伯德著；赵立光，艾柯译．-2版
哈尔滨：哈尔滨出版社，2003.1
ISBN 7-80639-899-6

Ⅰ.致... Ⅱ.①哈... ②赵... ③艾... Ⅲ.职业道德-通俗读物 Ⅳ.B822.9-49

中国版本图书馆 CIP 数据核字(2002)第 109740 号

责任编辑：陈春林

致加西亚的信

（美）阿尔伯特·哈伯德 著　赵立光 艾柯 译

哈尔滨出版社
哈尔滨市南岗区贵新街 170 号
邮政编码:150006　电话:0451-6225161
E-mail:hrbcbs@yeah.net
全国新华书店发行
黑龙江省教育厅印刷厂印刷

开本 850×1092 毫米 1/32　印张 4.875 字数 61 千字
2003 年 1 月第 1 版　2003 年 7 月第 2 次印刷
ISBN 7-80639-899-6/B·24
定 价：9.80 元（平装）

A Message to Garcia

献 词

100年来，《致加西亚的信》一书以不同的方式在全世界广泛流传，成为有史以来最畅销的书籍之一。**2000年被美国《哈奇森年鉴》和《出版商周刊》评选为有史以来世界最畅销图书第6名。**本书所推崇的关于敬业、忠诚、勤奋的思想观念影响了一代又一代人，一个国家又一个国家。

谨以此书献给所有能把信送给加西亚的人。

阿尔伯特·哈伯德

商业信条

我相信我自己。

我相信自己所售的商品。

我相信我所在的公司。

我相信我的同事和助手。

我相信美国的商业方式。

我相信生产者、创造者、制造者、销售者以及世界上所有正在努力工作的人们。

我相信真理就是价值。

我相信愉快的心情，也相信健康。我相信成功的关键并不是赚钱，而是创造价值。

我相信阳光、空气、菠菜、苹果酱、酸乳、婴儿、羽绸和雪纺绸。请始终记住，英语里最伟大的单词就是“自信”。

我相信自己每销售一件产品，就交上了一个新朋友。

阿尔伯特·哈伯德

商业信条

我相信当自己与一个人分别时，一定要做到当我们再见面时，他看到我很高兴，我见到他也愉快。

我相信工作的双手、思考的大脑和爱的心灵。

阿门，阿门！

作者简介

阿尔伯特·哈伯德，1856年6月19日出生于美国伊利诺伊州的布鲁明顿，父亲既是农场主又是乡村医生。哈伯德年轻时曾供职于巴夫洛公司，是一名成功的肥皂销售商，但他并不满足于此。1892年，他放弃了自己的事业进入哈佛大学读书。然后，他辍学开始徒步旅行英国。在伦敦他遇到了威廉·莫瑞斯，喜欢上了莫瑞斯的艺术与手工业出版社，即凯姆斯科特出版社。

回到美国后，他试图找到一家出版商来出版自己撰写的名为《短暂的旅行》的自传体丛书。当一切努力化为泡影后，他决定自己来出版这套书，于是罗依科罗斯特出版社诞生了。哈伯德不久就被证明是一个既高产又畅销的作家，名誉与金钱相继而来。

随着出版社规模的不断扩大，人们纷纷慕名来到东奥罗拉访问这位非凡的人物。最初观光客都分散住在他住所的周围，但人越来越多，以至于现有的住宿设施都无法容纳，为此，还特地盖了一座旅馆。在旅馆装修时，哈伯德让当地的手工艺人做了一种简单的直线型家具，没想到游客们非常喜欢这种家具，于是，一个家具制造产业由此诞生了。

公司的业务蒸蒸日上，到1910年就拥有了500多名员工，同时出版《菲士利人》和《兄弟》两份月刊，其影响力在《致加西亚的信》一书出版后也达到顶峰。

这一切都随着阿尔伯特和他的妻子爱丽丝在路西塔尼亚号轮船上的不幸遇难而结束。公司的重担落在了儿子伯特身上。尽管伯特

十分努力地工作，但依然抵挡不了公司的衰落。

今天，罗依科罗斯特人生产的东西正被人们疯狂地收藏；罗依科罗斯特公司的装订术、冶炼术和家具制造工艺也以其固有的魅力和独特的制造工艺为人们所喜爱。阿尔伯特·哈伯德这个名字也因《致加西亚的信》一书而声名远扬。

目 录

Contents

Contents

中文版序——世界上到处都是有才华的穷人

也许这是一本不合时宜的书。

当整个世界都在谈论着“变化”、“创新”等时髦的概念时，重提“忠诚”、“敬业”、“服从”、“信用”之类的话题未免显得过于陈旧。

然而，我们却又无法回避。员工的忠诚和敬业精神缺失，职业道德风险无时无刻不在困扰着企业的老板和公司管理者们，我们所面临的变化也带走许多有价值的东西，包括那些经济起飞所依赖的基本的商业精神——信用、勤奋和敬业。

我们常常看到，许多年轻人以频繁跳槽为能事，以善于投机取巧为荣耀。老板一转身就懈怠下来，没有监督就没有工作。工作时推诿塞责，划地自封；不思自省，却以种种借口来遮掩自己缺乏责

任心。懒散、消极、怀疑、抱怨……种种职业病如同瘟疫一样在企业、政府机关、学校蔓延，无论付出多么大的努力都无法彻底消除。

只有才华，没有责任心，缺乏敬业精神，我们是否真的能顺利前行?

在现实世界里，到处看到的都是有才华的穷人。

我曾遇见一个受过良好教育、才华横溢的年轻人，在公司里却长期得不到提升。他缺乏独立创业的勇气，也不愿意自我反省，养成了一种嘲弄、吹毛求疵、抱怨和批评的恶习。他根本无法独立自发地做任何事，只有在一种被迫和监督的情况下才能工作。在他看来，敬业是老板剥削员工的手段，忠诚是管理者愚弄下属的工具。他在精神上与公司格格不入，使他无法真正从那里受益。

我对他的劝告是，有所施才有所获。如果决定继续工作，就应该衷心地给予公司老板以同情和忠诚，并引以为豪。如果你无法不中伤、非难和轻视你的老板和公司，就放弃这个职位，从旁观者的角

度审视自己的心灵。只要你依然是某一机构的一部分，就不要诽谤它，不要伤害它——轻视自己所就职的机构就等于轻视你自己。

到哪里能找到将信送给加西亚的人？管理者们常常发出这样的感叹。

有关如何把信送给加西亚的故事，有关送信人罗文，有关《致加西亚的信》这本书，在全世界已广为流传。“送信”变成了一种具有象征意义的东西，变成了一种忠于职守，一种承诺，一种敬业、服从和荣誉的象征。

一些评论家认为，《致加西亚的信》是一本站在管理者角度写出的书，有失偏颇，甚至对员工是不公正的。而在我看来，忠诚和敬业并不仅仅有益于公司和老板，最大的受益者是我们自己，是整个社会。一种职业的责任感和对事业高度的忠诚一旦养成，会让你成为一个值得信赖的人，一个可以被委以重任的人。这种人永远会被老板所看重，永远不会失业。而那些懒惰的、终日抱怨和四处诽谤的人，即使独立创业，为自己的公司而工作，也无法

改变这些恶习而获得成功。

这一浅显的故事和简单的概念超越了许多大学里所教导的那些理论。它的影响不仅局限于一个人、一个企业、一个国家，甚至整个人类文明的发展都有赖于此。正如作者在书中所说："文明，就是孜孜不倦地寻找这种人才的一段长久过程。"

经历了100多年的历史考验，《致加西亚的信》依然是历史上最伟大的作品之一，它曾经被无数次印刷、复印，发给士兵、公务员、公司职员和所有人。

今天，我要再一次把这本书推荐给每个人。

原出版者手记

阿尔伯特·哈伯德，纽约东奥罗拉的罗依科罗斯特出版社的创始人。他是一位坚强的个人主义者，终生坚持不懈勤奋努力地工作。然而所有的一切于 1915 年与被德国水雷击沉的路西塔尼亚号轮船一同沉入海底，过早地结束了。

他于1856年出生在伊利诺伊州的布鲁明顿——后来因罗依科罗斯特出版社所出版、印刷、发行的优质出版物而闻名。在罗依科罗斯特出版社工作的日子里，阿尔伯特·哈伯德出版了两本杂志：《菲士利人》和《兄弟》。实际上杂志中许多文章都是出自于他之手。在写作、出版的同时，哈伯德还致力于公众演讲，他在演讲台上所取得的成就不亚于在写作和出版上的成绩。

从最初出版的那一刻起，《致加西亚的信》就赢得了非同寻常的称赞，这是作者始料不及的。在《作者序言》中作者描述了这种成功。

故事中的英雄，那个送信的人，也就是安德鲁·罗文，美国陆军一位年轻的中尉。当时正值美西战争（译者注：1898年4月至12月美国与西班牙之间发生的争夺殖民地的战争）爆发。美国总统麦金莱（译者注：美国第25任总统（1897—1901））急需一名合适的特使去完成一项重要的任务，军事情报局推荐了安德鲁·罗文。

在孤身一人没有任何护卫的情况下，罗文中尉立刻出发了，一直到他秘密登陆古巴岛，古巴的爱国者们才给他派了几名当地的向导。那次冒险经历，用他自己谦虚的话来说，仅仅受到了几名敌人的包围，然后设法从中逃出来并把信送给了加西亚将军——一个掌握着决定性力量的人。

整个过程中自然有许多意想不到的偶然因素与个人的努力相关联，但是，在这位年轻中尉迫切希望完成任务的心中，却有着绝对的勇气和不屈不挠

的精神。为了表彰他所做的贡献，美国陆军司令为他颁发了奖章，并且高度称赞他说："我要把这个成绩看做是军事战争史上最具冒险性和最勇敢的事迹。"

这一点当然毫无疑问，但人们更应该意识到，取得成功最重要的因素并不是因为他杰出的军事才能，而是在于他优良的道德品质。因此，罗文中尉将永远为人们所铭记。

1913年作者序言

《致加西亚的信》这本小册子是在一天晚饭后写成的，仅仅用了一个小时。时值1899年2月22日——华盛顿的诞辰日——我们准备出版三月份《菲士利人》的日子。

我心潮澎湃，在劳神费力的一天结束后写下了这本小册子。当时我正努力地教育那些行为不良的市民提高觉悟，重新振作起来，不再浑浑噩噩、无所事事。

尽管来自于一个喝茶时小小的辩论，但却给我一个直接的暗示。当时我的儿子认为罗文是古巴战争中真正的英雄，他只身一人出发，完成了一件了不起的事情——把信送给了加西亚。

他就像火花一样在我脑中一闪！是的，孩子是对的，英雄就是做了自己应该做的工作之人——把

信送给加西亚的人。我从桌子旁跳了起来，奋笔疾书写下了这本《致加西亚的信》。我毫不犹豫就把这篇没有标题的文章登在了当月的杂志上面。

第一版很快告罄。不久，请求加印三月份《菲士利人》的定单像雪片般飞来。一打、50份、100份……当美国新闻公司订购1000份时，我问一个助手究竟是哪一篇文章引起了如此般的轰动，他说："是有关加西亚的那些材料。"

第二天，纽约中心铁路局的乔治·丹尼尔竟然也发来了一份电报："订购10万份以小册子形式印刷的关于罗文的文章……请报价……封底有帝国快递广告……用船装运……需要多长时间？"

我给了他报价，并且确定我们能够在两年时间内提供那些小册子——当时的印刷设备十分简陋，10万册书听起来是一项十分可怕的任务。

我答应丹尼尔先生按照他的方式来重印那篇文章，最后的结果是，他居然销售和发送近50万本这样的小册子，其中的两三成都是由丹尼尔先生直接发送的。除此之外，这篇文章在两百多家杂志和报

纸上转载刊登，现在已被翻译成了各种各样的文字在全世界流传。

正当丹尼尔先生发送《致加西亚的信》之时，俄罗斯铁道大臣西拉克夫亲王恰巧也在纽约。他受纽约政府之邀来访，丹尼尔先生亲自陪同其参观纽约。于是，亲王看到了这册小书并对它产生了浓厚的兴趣，其中最重要的原因也许在于丹尼尔先生是以大写字母的形式出版的。亲王回国后，让人把此书译成了俄文，发给俄罗斯铁路工人人手一册。

其他国家也纷纷翻译引进，从俄罗斯流向德国、法国、西班牙、土耳其、印度和中国。日俄战争期间，每一位上前线的俄罗斯士兵人手一册《致加西亚的信》。日本人在俄罗斯士兵的遗物中发现了这些小册子，他们断定这肯定是一件十分有价值的东西，于是，这篇文章又有了日文版。

日本天皇下了一道命令：每一位日本政府官员、士兵乃至平民都要人手一册《致加西亚的信》。

迄今为止，《致加西亚的信》的印数高达4千万册。可以说在一个作家的有生之年，在所有的文学

生涯中，没有人可以获得如此成就，也没有一本书的销量可以达到这个数字！

整个历史是由一系列偶然的事情所构成。

阿尔伯特·哈伯德

1913年12月1日

东方黎明

致加西亚的信

阿尔伯特·哈伯德

如果你为一个人工作，以上帝的名义：为他干！

如果他付给你薪水，让你得以温饱，为他工作——称赞他，感激他，支持他的立场，和他所代表的机构站在一起。

如果能捏得起来，一盎司忠诚相当于一磅智慧。

在所有与古巴有关的事情中，有一个人常常令我无法忘怀。

美西战争爆发以后，美国必须马上与西班牙反抗军首领加西亚将军取得联系。加西亚将军隐藏在古巴辽阔的崇山峻岭中——没有人知道确切的地点，因而无法送信给他。但是，美国总统必须尽快地与他建立合作关系。

怎么办呢？

有人对总统推荐说："有一个名叫罗文的人，如果有人能找到加西亚将军，那个人一定就是他。"

于是，他们将罗文找来，交给他一封信——写给加西亚的信。关于那个名叫罗文的人，如何拿了信，将它装进一个油纸袋里，打封，吊在胸口藏好，如何在3个星期之后，

徒步穿越一个危机四伏的国家，将信交到加西亚手上——这些细节都不是我想说明的，我要强调的重点是：

美国总统将一封写给加西亚的信交给了罗文，罗文接过信后，并没有问："他在哪里？"

像罗文这样的人，我们应该为他塑造一座不朽的雕像，放在每一所大学里。年轻人所需要的不仅仅是学习书本上的知识，也不仅仅是聆听他人的种种教诲，而是更需要一种敬业精神，对上级的托付，立即采取行动，全心全意去完成任务——"把信送给加西亚"。

加西亚将军已不在人世，但现在还有其他的"加西亚"。没有人能经营好这样的企业——虽然需要众多人手，但是令人吃惊的是，其中大部分人碌碌无为，他们要么没有能力，要么根本不用心。

懒懒散散、漠不关心、马马虎虎的工作态度，对于许多人来说似乎已经变成常态。除非苦口婆心、威逼利诱地强迫他们做事，或者，请上帝创造奇迹，派一名天使相助，否则，这些人什么也做不了。

不信的话我们来做个试验：

此刻你正坐在办公室里——有6名职员在等待安排任务。你将其中一位叫过来，吩咐他说："请帮我查一查百科全书，把克里吉奥的生平做成一篇摘要。"

他会静静回答："好的，先生。"然后立即去执行吗？

我敢说他绝对不会，他会用满脸狐疑的神色盯着你，提出一个或数个问题：

他是谁呀？

他去世了吗？

哪套百科全书？

百科全书放在哪儿?

这是我的工作吗?

为什么不叫乔治去做呢?

急不急?

你为什么要查他?

我敢以十比一的赌注跟你打赌，在你回答了他所提出的问题，解释了如何去查那些资料，以及为什么要查的理由之后，那个职员会走开，去吩咐另外一个职员帮助他查某某的资料，然后回来告诉你，根本就没有这个人。当然，我也许会输掉赌注，但是根据平均率法则，我相信自己不会输。

真的，如果你很聪明，就不应该对你的“助理”解释，克里吉奥编在什么类，而不是什么类，你会面带笑容地说：“算啦。”然后自己去查。

这种被动的行为，这种道德的愚行，这

种意志的脆弱，这种姑息的作风，有可能将这个社会带到“三个和尚没水喝”的危险境界。

如果人们都不能为了自己而自动自发，你又怎么能期待他们为别人服务呢？

乍看起来，任何一家公司都有可以分担工作的人选，但事实真的如此吗？你登广告征求一名速记员，应征者中，十有八九不会拼也不会写，他们甚至认为这些都无所谓。

这种人能把信带给加西亚吗？

“你看那个职员。”一家大公司的总经理对我说。

“看到了，怎么样？”

“他是个不错的会计，但是，如果我派他到城里去办个小差事，他也许能够完成任务，但也可能中途走进一家酒吧。而到了闹市区，他甚至可能完全忘记自己来干什么的。”

这种人你能派他送信给加西亚吗?

最近，我们经常听到许多人对那些“收入微薄而毫无出头之日”以及“但求温饱却无家可归”的人表示同情，同时将那些雇主骂得体无完肤。

但是，从没有人提到，有些老板如何一直到白发苍苍，都无法使那些不求上进的懒虫勤奋起来；也没有人谈及，有些雇主如何持久而耐心地希望感动那些当他一转身就投机取巧、敷衍了事的员工，使他们能振作起来。

在每家商店和工厂，都有一些常规性的调整过程。公司负责人经常送走那些无法对公司有所贡献的员工，同时也吸纳新的成员。无论业务如何繁忙，这种整顿一直在进行着。只有当经济不景气，就业机会不多的时候，这种整顿才会有明显的效果——那些无法胜任工作、缺乏才干的人，都被摈弃在

工厂的大门之外，只有那些最能干的人，才会被留下来。为了自己的利益，每个老板只会留住那些最优秀的职员——那些能“把信送给加西亚”的人。

我认识一个十分聪明的人，但是却缺乏自己独立创业的能力，对他人来说也没有丝毫价值，因为他总是偏执地怀疑自己的老板在压榨他，或者有压榨他的意图。他既没有能力指挥他人，也没有勇气接受他人的指挥。如果你让他“送封信给加西亚”，他的回答极有可能是：“你自己去吧。”

我知道，与那些四肢残缺的人相比，这种思想不健全的人是不值得同情的。相反，我们应该对那些用毕生精力去经营一家大企业的人表示同情和敬意：他们不会因为下班的铃声而放下工作。他们因为努力去使那些漫不经心、拖拖拉拉、被动偷懒、不知感恩的员工有一份工作而日增白发。许多员工不

愿意想一想，如果没有老板们付出的努力和心血，他们将挨饿和无家可归。

我是否说得太严重了？不过，即使整个世界变成一座贫民窟，我也要为成功者说几句公道话——他们承受了巨大的压力，导引众人的力量，终于取得了成功。但是他们从成功中又得到了什么呢？一片空虚，除了食物和衣服以外，一无所有。

我曾为了一日三餐而为他人工作，也曾当过老板，我深知两方面的种种酸甜苦辣。贫穷是不好的，贫苦是不值得赞美的，衣衫褴褛更不值得骄傲；但并非所有的老板都是贪婪者、专横者，就像并非所有的人都是善良者一样。

我钦佩那些无论老板是否在办公室都努力工作的人，我敬佩那些能够把信交给加西亚的人。他们静静地把信拿去，不会提任何愚笨的问题，更不会随手把信丢进水沟里，而是全力以赴地将信送到。这种人永远不会被解雇，也永远不必为了要求加薪而罢工。

文明，就是孜孜不倦地寻找这种人才的一段长久过程。

这种人无论有什么样的愿望都能够实现。在每个城市、村庄、乡镇，以及每个办公室、商店、工厂，他们都会受到欢迎。世界上极需这种人才，这种能够把信送给加西亚的人。

谁将把信送给加西亚？！

你属于哪类人？

阿尔伯特·哈伯德

如果说，生命使人奋勇向前，合作精神能使人变得宽容，那么忠诚和敬业能使人感到踏实和值得信赖。

我们常常能够听到以下熟悉的话语：

“现在是午餐时间，你3点以后再打来吧。”

“那不是我的工作。”

“我太忙了。”

“那是汉曼的工作。”

“我不知道该如何帮你。”

“你去图书馆试过吗？”

“这件事我们现在办不了。”

“你还可以多补充一些，对吗？”

最近我到一家百货商店去购买东西，到一个自己认为要找的柜台，可是店员却把我带到了别的地方。你知道吗，在我找到那件东西之前，我被带到了店里的四个地方。如果有人能在这里贴出一张杜鲁门总统的座右铭：“责任到此，不能再推！”那该是多么振奋人心啊！

但是，在这些司空见惯的话语和令人困惑的事情之外，我们也看到了另外一些与之相反的事例。

斯拉在一家大公司办公室从事打字工作。一天，同事们出去吃饭了，这时，一个董事经过他们部门时停了下来，想找一些信件。这并不是斯拉份内的工作，她回答道："对于此信我一无所知，但是，达斯先生，让我来帮助您处理这件事情吧！我会尽快把它找到并会把它放在你的办公室里。"当她将他要找的东西放在他面前的时候，董事显得格外高兴。

故事到这里并没有结束。四个星期后她被提升到了一个更重要的部门工作，并且薪水提高了30%。猜猜是谁推荐她的？就是那位董事。在她提供了帮助之后，他记下了她的名字，在一次公司管理会上，他推荐她担任一个更高职位的工作空缺。

这是一件微不足道的事情，但是从细微之

处却体现了一种精神，这种精神就是《致加西亚的信》一书中所彰显的敬业精神。正如作者所言：“年轻人所需要的不仅仅是学习书本上的知识，也不仅仅是聆听他人的种种指导，而是更需要一种敬业精神，对上级的托付，立即采取行动，全心全意去完成任务——‘把信带给加西亚’。”

与身边其他人一样，从十几岁开始一直到大学，我就到社会上做各种工作——从修理自行车到挨家挨户推销词典，有一年我甚至为一场选美比赛工作整整一个夏天，任务是回收那些已经征订却未付款的票。这些票大多数是一些中年人被天花乱坠的宣传所迷惑而订购的，却无意去观看。此外，我还在一些家庭做数学家教，担任商店的收银员、出纳以及夏令营童子军教练。为了完成大学学业，我替人打扫、整理房间。

这些工作大部分都很低俗而且收入不高，

我自己也认为它没有价值。

但是最终我知道自己是错的。这些工作以一种潜移默化的方式给予我珍贵的教诲和机会，无论什么样的工作环境，无论层次高低，都能学到许多有价值的东西。

以我在商店做收银员的工作为例。相当长一段时间，我认为自己是一个好雇员，做了自己份内的事——收款。但是后来发生的一件事改变了这种看法。

有一天，我正与同事闲聊时，经理走了进来。他四处看了看，然后示意让我跟随着他。他一言不发走到柜台前，动手整理那些订出的商品。然后，他又走到食物区，将购物车清空。

看着经理的一举一动，我备感震惊，突然顿悟了。我之所以惊讶，并不是因为要跟着做这项新任务，而是因为以往没有人告诉我要这样做。

从这件小事上，我学到了一个令我受益终

身的经验，它不仅使我成为一名更优秀的雇员，而且教会了我如何从每一项细小的工作中获得更多的东西。

不仅要对自己份内的工作尽职尽责，而且要更上一层楼，做到更主动，更卓越。

有了这次教益，以前自己认为低俗的工作开始变得高尚起来。我越是专注自己的工作，学会的东西就越多，取得的成就就越大。

后来，我离开那家商店上了大学，而这个阶段的经历对我的人生、事业影响颇为深远。我从一个事不关己高高挂起的旁观者变成了有责任感的人。它使我的大学生活变得丰富起来，兼职和实习成为探索未来发展的机会。

毕业后，当我成为一名经理，一位管理者时，我依然在努力发现那些需要做的事情，不断超越他人——不仅让自己的雇主与众不同，也使自己能出人头地。

在职业生涯中，我们常常能听到主动性这个词。什么是主动性呢？主动就是没有人要求你、强迫你，自觉而且出色地做好自己的事情。

其次，当他人告诉你一次，不需要监督，你就能圆满完成任务。也就是说，能毫无帮助地把信送给加西亚，送信的人能得到很高的荣誉。

再次，有这样一种人，他们需要人反复强调后才采取行动。这类人既得不到荣誉也得不到金钱。

另外有一类人，只有当他们穷困潦倒时才会去做事。这类人永远处于贫困的边缘，他们一生中大部分时间在盼望幸运之神降临到自己身上。

然而，还有一种人比上述几类人更恶劣，即使有人走到他们面前，告诉他们如何做，并且停下来督促他们，也仍然无法将事情做好。这种人总是不停地失业，到处遭遇蔑视

的眼光。

你属于哪一类呢？

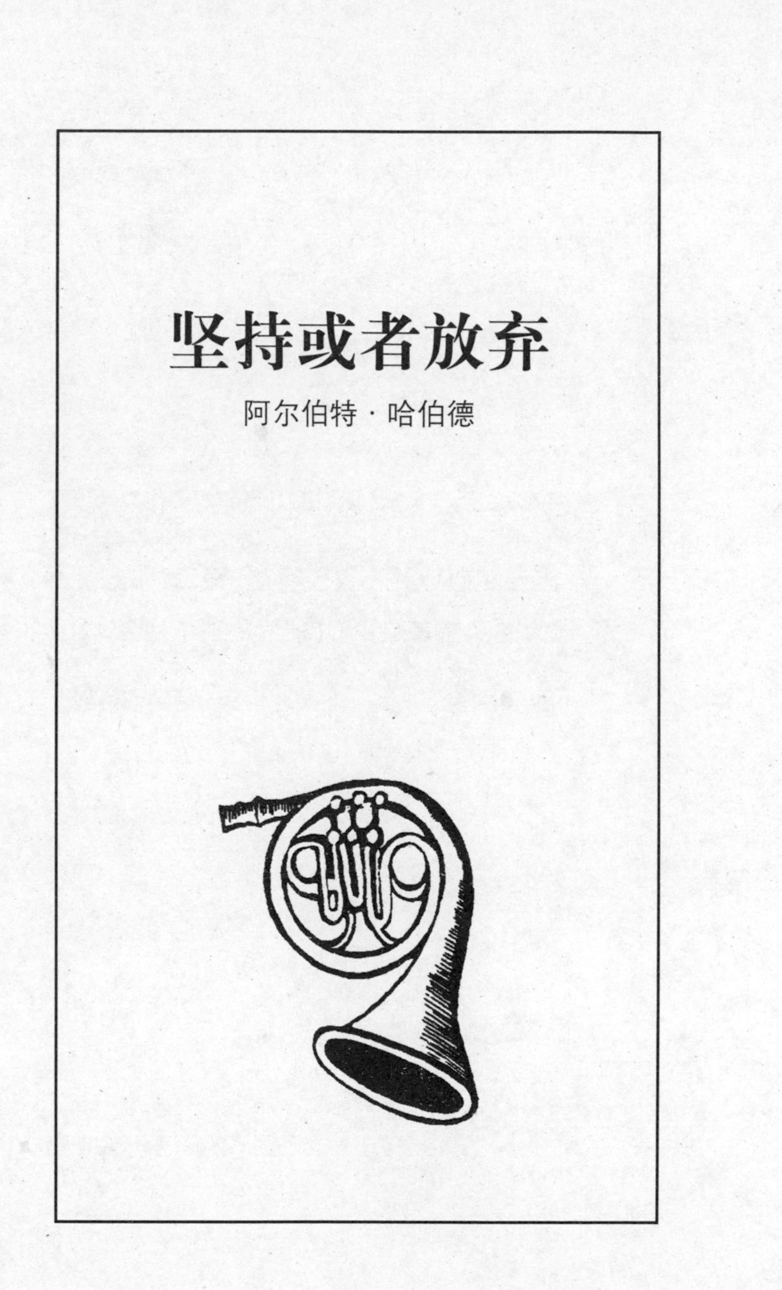

坚持或者放弃

阿尔伯特·哈伯德

忠诚和敬业并不仅仅有益于公司和老板，最大的受益者是我们自己，是整个社会。

即使林肯的所有信件和演讲资料全部失传，但只要那封写给胡克将军的信存留下来，我们就能洞悉这个铁路“劈木工”崇高的思想境界。

通过这封信，我们不仅可以了解林肯的自制精神，同时也能看到他是如何驾驭别人的。这封信给人们展现了一个率直、慈爱、智慧、老练、天才外交和胸襟宽大的林肯。

在此之前，胡克将军曾经粗鲁地攻击自己的总司令——林肯总统，言辞有失公允，与此同时，他还羞辱自己的上司伯恩赛德。但是，林肯并没有耿耿于怀，他相信胡克的军事才能，并且充分发挥其优点，提拔他取代了伯恩赛德。换言之，被误解的人提拔了误解自己的人，使之取代了自己的挚友。

林肯顾全大局，将自己的个人恩怨置之度外。当然，应该有一个基本前提，那就是被提拔的人了解真相并且有能力控制事物。林肯以一种心平气和的态度给胡克写信，理智地消除自己和胡克间的纷争。

我们最好将这封信的全文抄录如下：

胡克少将：

我任命你为波托马克军司令。我之所以如此做，是有充分理由的。但是，我希望你最好能了解，我对你的某些做法并不太满意。

作为一名勇敢善战的军人，对此，我十分欣赏你。

不会将自己的职业与政治混为一谈，对此，我充分信任你。在你坚守自己的军人职责方面，我认为你是正确的。

你十分自信。这种品质即使不是必不可少，但是至少是有价值的。

你雄心勃勃。如果能控制在恰当的范围内，将利大于弊。但是，我认为在伯恩赛德领导军队期间，你的雄心成为一种障碍。在这一点上，你犯了一个大错误，无论是对国家，还是对这位战功卓著、值得尊敬的将军。

最近，我耳闻你发表这样的观点：军队和政府都需要一位独裁者。我相信这种传言是真的。我委以重任，虽然有这方面的因素，但不仅仅如此，更重要的是因为在我看来，只有建功立业的将军才可能成为独裁者。现在，我要求你取得军事胜利——冒着失去统治权的危险。政府将全力以赴支持你，不会比以往多也不会比以往少，对于所有的将军都一视同仁。对自己的上司指手划脚，影响他的情绪，我担心这种由你助长起来的风气会应验在你的身上。我会尽自己所能帮助你抑制它。如果放任自流，即使是拿破仑再生，都无能为力。

现在，克服这种轻率浮躁，勇往直前，去

争取胜利吧!

此致

敬礼

林肯

华盛顿

1863年1月26日

信中有一点值得我们深思，它暗示了一种情况，那就是从一片有毒的土壤里会生长出类似龙葵的致命物质。在这里，我指的是那种对于位居我们之上的人加以嘲笑、吹毛求疵、抱怨和批判的习惯。

无论是谁，想做一点事情，肯定会受到批评、中伤和误解。所谓“天将降大任于斯人也，必先苦其心志”，磨难是成功的必由之路。当然，杰出无须证明。证明自己杰出的最有力证据是能够忍辱自我克制。林肯做到了，他知道每一

个生命都必定有它存在的理由。但是，他也让胡克意识到，自己种下恶的种子时，必会自食其果。“如果放任自流，即使是拿破仑再生，都无能为力。”胡克的错误危害了自己，别人也深受其害，但受害最多的还是胡克自己。

不久前，我遇到一名放假回家的耶鲁大学学生，我敢说他根本代表不了真正的耶鲁精神。这名学生对学校的制度满腹牢骚，言辞中充满了批评和抱怨。校长也没有逃脱他的指责，他列举一系列的事实和数据，附带时间和地点，描述得绘声绘色。

但是，很快我就发现问题所在，毛病并不出在耶鲁，而出在那个年轻人身上。在精神上他与自己的学校如此格格不入，以致使自己无法从中真正受益。耶鲁也许并不是一所完美的大学，我想这一点哈德利校长和其他的耶鲁人都会接受这个观点。但耶鲁的确有自己独特的优势，而这些优势是否能得到充分的利用则取

决于学生。

如果你是一名大学生，就应该充分利用学校现有的资源。有所施才有所获——衷心地给予学校同情和忠诚才能有所收获。以自己的学校为骄傲，与老师站在一起——他们正在尽职尽责。如果说学校依然有很多缺陷，那么应该做的是每天努力学习，给他人树立榜样，齐心协力将学校办好，做好自己的事！

如果你就职的公司运作不正常，老板刻薄古怪，那么最好的方法是走到老板面前，自信地、心平气和地告诉他：你是一个刻薄古怪的人，你的管理方法是不合理和荒谬的，并且提出自己的改革意见。你甚至可以自告奋勇去帮助他清除那些不为人知的管理漏洞。

立即行动！如果由于种种原因使你无法达到自己的目的，那么在坚持和放弃之间作出选择。你只能二者择其一——现在就选择吧！

如果你为一个人工作，以上帝的名义：为

他干！

如果他付给你薪水，解决你的温饱，那就努力地为他工作——称赞他，支持他，站在他和他所代表的机构一边。

我想，如果我为一个人工作，那么我就会心甘情愿地为他而努力。我不会时而支持他，时而反对他。如果不能全心全意、持之以恒，就干脆什么都不做。

如果能捏起来，一盎司忠诚等于一磅智慧。

如果你无法控制自己不去中伤、非难和轻视他人，为什么不辞职，然后以旁观者的角度审视自己的心灵？但我还是请求你，身在其中时，就不要诽谤它，贬损它。事实上，当你贬损它时，就等于在贬损自己。更重要的是，当你慢慢松开自己和这些机构的纽带时，一股强风就会随之而来，你会被连根拔起落入暴风雨中——你可能自己都不知道原因。

到处都能看到许多失业者。和他们交谈时，你能发现他们充满了抱怨、痛苦和诽谤。这就是问题所在——吹毛求疵的性格使他们摇摆不定，也使自己发展的道路越走越窄，最后一事无成。他们与公司的理念格格不入，对他人毫无价值，最终只好被迫离开。每个雇主总是不断地在寻找能够助自己一臂之力的人，同时也在发现那些不起作用的人——任何对公司发展形成阻碍的人都要被拿掉。

不要吹毛求疵，这就是商业法则，是建立在自然法则的基础上的。奖赏只会给那些有用的人。想对公司有所帮助，就必须保持同情心。

以一种温和的态度来告诉自己的老板，他是一个刻薄的人，他的管理存在很多弊端，而没有必要激起他的不满，更没有必要使他与你到争吵的地步。

如果你对其他人说自己的老板是个刻薄的，那么也就表明你自己也是；如果你对他人

说自己公司的制度无可救药，那么也就说明你也同样无可救药。

尽管胡克有种种缺点，但他依然得到了提拔。然而，你的雇主可能没有林肯那样宽容大度的胸襟。但即使是林肯也无法永远保护胡克。如果胡克战败了，林肯不得不再用其他人取而代之——一个更沉着冷静，一个从不妄加评论，从不抱怨他人（甚至敌人）的人。

这个人恰如其分地控制着自己的心灵，他做自己应该做的事，以绝对的忠诚、完美的自信和无私的奉献精神，做着前人没有做过的事。

一本可怕的书

威廉 · 亚德利

世界赋予了它巨大的褒奖，不仅是钱，还有荣誉。仅仅是因为一件事，那就是主动性。什么是主动性呢？我会告诉你：没被人告诉却在做着恰当的事情。

对于管理者来说,《致加西亚的信》能够给自己的团队一些重要的启示。从内容上看来,这是一本劝告员工如何敬业和勤奋工作的书籍,然而一个世纪以来,却在更为广泛的领域被人们所应用。

长期以来,美国西点军校和海军学院的学生都要上一门关于自立和主动性的课。教材就是这本题名为《致加西亚的信》的小册子,其精神影响了一代又一代的学员。

在政界,这本书也成为培养公务员敬业守则的必读书。布什家族成员都深受其影响。布什就曾在这本小硬皮书里签名,把它赠送给了自己的助手。

这本窄小的只有支票簿大小的书——《致加西亚的信》现在依然放在办公室最后一张桌

子上。布什在他的签名上面写下了这样一句话："你是一个送信者！"就此他解释说："我把它献给所有那些在政府建立之初与我们同行的人们。我寻找那些能把信带给加西亚的人，让他们成为我们的一员。那些不需要人监督而且具有坚毅和正直品格的人正是能改变世界的人！"

一些政府机构把这本书的复印稿钉在了墙上，要求读过《致加西亚的信》的人签名，纸上满满都是签名。

布什又是如何读到这本书的呢？这与赖特有关。作为一名奥兰多的律师，赖特长期效力于布什以及其前总统的父亲。赖特于1998年布什竞选总统时向他推荐了这本书。

赖特这样描述这个故事："抱怨是不允许的。我的道德标准是：你得到一个工作，就应该全力以赴地去做。当我向这位候选人推荐这本书时，布什说：'我不会对这些东西感兴趣。'

我说：'请读一读，只需要喝一杯咖啡的时间，这不是新时代的东西，但它永远不过时。'我再一次碰到他时，他已经读过了这本书。他的反映正如我所预料的那样：'这本书太可怕了，它把一切都说了。'"

《致加西亚的信》的故事发生在1898年，出版于1899年。但是故事和书籍中所表达的一种精神，成为了一代代领导者的信念。尤其是以下这段话更是发人深省：

美国总统将一封写给加西亚的信交给了罗文；罗文接过信后，并没有问："他在哪里？"

像罗文这样的人，我们应该为他塑造一座不朽的雕像，放在每一所大学里。年轻人所需要的不仅仅是学习书本上的知识，也不仅仅是聆听他人的种种教诲，而是更需要一种敬业精神，对上级的托付，立即采取行动，全心全意去完成任务——"把信送给加西亚"。

这本书不能简单地被认为是一首歌颂英雄的赞歌，而应该被看成是一本成功的励志著作，值得每个人去读，并且作为做人做事的标准：不为困难所吓倒，用自信来完成所托的任务。

停止抱怨

马克·戈尔曼

每个地方你都能发现许多失业者。和他们交谈时，你能发现他们充满了抱怨、痛苦和诽谤。这就是问题所在——他们吹毛求疵的性格使他们摇摆不定，也使自己发展的道路越走越窄。

也许贫困的生活像枷锁一样困扰你，没有亲朋好友，你无依无靠地独自生活在异国他乡，因此你急切地希望减轻自己身上沉重的负担。然而，仿佛陷入黑暗的深渊之中，负担是如此沉重。于是，你不停地抱怨，感叹命运对自己的不公，抱怨自己的出身、父母、自己的上司，甚至抱怨使你遭受贫困，却赐予他人富足和安逸生活的不公正的上苍。

停止你的抱怨，让烦燥的心情平静下来，你埋怨的这些事物，并不是导致你贫困的原因。根本原因在于你自身的心态。而这些心态，其实都有办法改变的。

如果你喜欢抱怨，说明你倒霉的处境是咎由自取，说明你缺乏一种信念，而这种信念是一切成功的基础。

喜欢抱怨的人在这个世界里是没有立足之地的，烦恼忧愁更是心灵的杀手。假如你没有一个正确的心态，那就好像收紧了身上锁链的束缚，使自己身陷黑暗之中。

对工作的态度一旦改变，工作的处境也会随之改变。增强信念，丰富自己的知识，让自己置身于更优越的环境，就能获得更多的机会。但一定要记住，什么事都要努力去做。千万不要以为可以脚踩两条船，把什么便宜都占尽了，因为即便你这样做并且获得了成功，也必定是短暂的，很快就会失去。同时也必须汲取以前的教训，以免重蹈覆辙。

就像学校的学生必须先掌握一门课程才能接着学习下一门课程一样，在拥有你梦寐以求的丰硕成果之前，你需要先充分发挥你的能力。《圣经》中不少的文字，就很好地阐述了这个真理。《圣经》告诫我们，如果滥用、忽略或低估我们的能力，即使我们所具有的能力并不

多，也会慢慢减弱，这是因为我们的所作所为不配拥有这样的能力。

不要从心理上成为奴隶

许多人认为自己在公司里受到老板和上司的压榨和奴役，事实上并非如此。真正压榨和奴役他的不是老板和上司，而是他自己。这些人整天抱怨，说自己像一个奴隶一样被人役使，他的内心就渐渐产生了这种低人一等的心态，真正变成了一个奴隶。

应该培养高贵的人品，这样就能使自己超越奴隶的层次。在抱怨自己是他人的奴隶之前，先看看你是否是自己的奴隶。

反省自我，敢于正视自己的心灵，不要对自己放宽要求。你一定会发现，你的心里隐藏着很多猥琐的思想和欲望，而不假思考就顺从的习惯或者行为，在你平时的行为中比比皆是。

改正这些缺点，不要再做自己的奴隶，这样就没有人能奴役你了。一旦战胜自我，便能克服所有的逆境，困难也就迎刃而解了。

不要抱怨被富人所压迫。如果你也成为富人，能肯定不压迫别人吗？不要忘了永恒的法则是公平的，今天压迫别人的，日后一定会遭受压迫，绝对不会有例外的。假如你过去曾经富有，而且曾经压迫过别人，按照这条伟大的法则，现在你困苦的处境就是在遭受报应。让永恒的正义、永恒的善良留存心中。

努力摆脱自私与狭隘的思想，去追求无私和永恒的境界。摆脱自己是受害者的错觉，试着去深入了解你的内心，你就会进一步认识到，伤害自己的其实就是你自己。

抱怨导致疾病

如果你老是处于怒火中烧、忧心如焚、忌妒贤能、贪得无厌等不健康的心态中，却渴望

拥有一个健康的身体，那无异于在建一座空中楼阁。因为你无意中已经把疾病的种子埋在了你的心中。拥有智慧的人千方百计地试图离这些心态远些，因为这样的心态只会带来疾病。

如果你不想遭受疾病的困扰，使生理各方面的机能协调起来，就设法重新理顺心理秩序，先使思想协调一致。胸怀愉悦、博爱众生。要知道常存善念是最好的灵药，让它进入你的脉络，成为你身体的一部分。

放下你的嫉妒、怀疑、焦虑、憎恶和贪婪，你就不难驱除疾病与疲劳，该死的神经痛和关节炎再也不会缠住你不放；相反，如果你任凭糟糕的心态与你为伴，那么即使你恶疾缠身，也没有理由抱怨了。

下面是一个阐述心态与健康的关系的故事，你可以从中慢慢领悟一点道理：

从前，有一个人得了难治之症，他整日整夜地为疾病所苦，为了能早日痊愈，他看过了

不少医生，都不见效果。他听人说起有个远近闻名的小镇，小镇有一种包治百病的水，就急忙赶去，跳到那水里去洗澡。洗过澡后，他的病不但没好，反而加重了。

几天后的一个晚上，他在一个梦里梦见有个精灵向他走来，问："所有的方法你都试过了吗？"他答道："试过了。"

"不，"精灵摇头说，"过来，我带你去洗一种你从来没有洗过的澡。"

精灵带这个人到了一个清澈的水池旁，说："进水里泡一泡，你将很快康复。"说完就不见了。

这病人进了水池，泡在水中，泡好后，他从水中出来，病痛竟然真的消失了，他欣喜若狂。这时，他抬头看见了水池旁边的墙上写着"抛弃"两个字。

这时他也醒了，梦中的情景让他猛然醒悟：原来自己一直以来恣意放纵，受害已深。于

是他就此发誓，要戒除一切恶习。他履行了誓言，先是苦恼从他的心中消失，没过多久，他的身体也康复了。

改善环境

或许你正住在一间条件并不好的小屋中，但是你却渴望拥有宽大而干净的房屋。那么，你应该首先让自己具备住这种房屋的资格。你首先应该做的事，就是尽量把自己的小屋建成一个小天堂。

让屋子里干净得一尘不染；尽自己所能，将它布置得温馨而又朴素大方；精心做好一些简单的食物，把普通的饭桌收拾得整齐利落；如果你买不起地毯，那就让微笑和欢迎当作地毯铺满你的小屋，再用耐心的锤子把美好话语的钉子固定牢固——这样的地毯，即使经受风吹日晒也不会磨损褪色。

这样把居住环境布置得朴素大方，你将会

超越它们，你的精神充满这间房屋，一旦时机成熟，你就可以拥有更好的居住环境，那时你也完全有资格居住其中。

工作上的道理也是一样，与其抱怨自己的工作环境不好，不如主动地去改变它。而不是整天抱怨。

也许你希望有更充足的时间去思考，但却感到工作的时间那么长，那么辛苦。你要善于充分利用所有的零散时间。如果你在浪费着所拥有的时间，那么你再希望有更多的时间也是毫无意义的，因为那样只会使你变得更加懒惰。

正确对待命运的不公

其实贫穷的生活或者忙碌的工作，并不是你所想像的坏事，假如是这些因素阻碍了你的进步，是因为你将个人弱点和它们结合起来，你在它们之中所见到的坏的一面，早就存在于

你自身之中。

通过你自身的努力，可以深刻地认识到，在调整自己的心态时，就能掌握自己的命运；而通过自律能力，你会更加深入地认识到，这些所谓的坏事也可能成为好事。

明白了这些，你就会善于利用贫困来培养你的耐心、希望和勇气。缺少时间的时候，可以利用这个机会学习怎样利用一点一滴珍贵的时间，培养自己行动迅速，思维灵敏的能力。

就像野草丛生的地上能长出美丽的花朵，在满是贫困的土地上，也能绽开出美丽的人性之花。

贫困和逆境更能培养美好的品德，让它放射出奇异的光彩。

你也许正为一个专横的老板服务，并因此觉得很不公平，那么不妨把这看作是对自己的磨练吧，用亲切和宽容的态度来回应老板的无情。

借着这样的机会磨练自己的耐心和自制力，转化不利的因素，利用这样的时机增强精神的力量，而老板经过你的逐渐感化，将会认识到自己的行为的可耻。同时，你自己也提升到更高的精神境界，一旦条件成熟，你就能进入崭新的、更友善的环境中。

从工作中获得真正的力量

即使你的处境再不尽人意，也不应该厌恶你自己的工作，因为在世上再找不出比这更坏的事情了。如果环境迫使你不得不做一些令人乏味的工作，你就想方设法使这乏味的工作充满乐趣。用这种积极的态度投入工作，那么无论你从事什么工作，都很容易取得良好的效果。

不要小看自己的工作，即使是普通的工作，你也应该全力以赴、尽职尽责地去完成。小任务的顺利完成，有利于你对大任务的成功把

握。一步一个脚印地向上攀登，便不会轻易跌落。获得真正的力量的秘诀便蕴藏在其中。

通过不断的实践，掌握如何随时随地保护好你的内心资源。愚者只会把他们的心智和精神耗费在无聊的事情和喋喋不休的争吵上，这无形中也消耗了他们的体能。

如何把信送给加西亚

安德鲁·罗文

人们在做事情时，常常会受到批评、中伤和误解。从某种意义来说是对那些伟大杰出的人物的一种惩罚。当然，杰出无须证明。证明自己杰出的最有力证据就是能够容忍漫骂而不去报复他人——自己种下分歧的种子，必会自食其果。

因为有了这位英雄，阿尔伯特·哈伯德才创作了不朽的名作《致加西亚的信》。

让我们通过这部作品获取一种进取心，在这种追求中获得一种动力。我们自己即使付出再多的代价，为了国家也在所不惜。

——哈里斯

“到哪里能找到把信送给加西亚的人？”美国总统麦金莱问情报局局长阿瑟·瓦格纳上校。

上校迅速答道：“我有一个人——一个年轻的中尉，安德鲁·罗文。如果有人能把信送给加西亚，那么他就是罗文。”

“派他去！”总统下命令。

美国正在与西班牙交战，总统急切地希望得到有关情报。他认识到美国军队必须和古巴的起义军密切配合才能取得胜利。他需要掌握西班牙军队在岛上的部署情况，包括士气、军官尤其是高级军官的性格、古巴的地形、一年四季的路况，以及西班牙军队和起义军及整个国家的医疗状况、双方装备等等。除此之外，还希望了解在美国部队集结期间，古巴起义军需要什么样的帮助才能困住敌人，以及其他许多重要情报。

总统的命令就三个字，如同上校的回答一样，干脆果断。当务之急就是找到把信送给加西亚的人。

一小时以后，时值中午，瓦格纳上校通知我下午一点钟到军部去。到了军部，上校什么也没说，带我上了一驾马车，车棚遮得严严实实的，看不清行驶的方向。车里光线幽暗，空

年轻人所需要的不仅仅是学习书本上的知识，也不仅仅是聆听他人的种种指导，而是更需要一种敬业精神，对上级的托付，立即采取行动，全心全意去完成任务——“把信送给加西亚”。

气也很沉闷，上校首先打破了沉默，问道："下一班去往牙买加的船何时出发呀？"

我迟疑了一分钟，然后回答他："一艘名为安迪伦达克的轮船明天中午从纽约起航。"

"你能乘上这艘船吗？"上校显得很急切。

上校一向很幽默，我想他不过是在开玩笑，调节一下气氛，于是半开玩笑地回答："是的！"

"那么就准备出发吧！"上校说。

马车停在一栋房子前，我们一起走到大厅。上校走进里面的一间屋子，过了一会儿，他走到门口，招手让我进去。在一张宽大的桌子背后，美国总统正坐在那里。

"年轻人，"总统说，"我选派你去完成一项神圣的使命——把信送给加西亚将军。他可能在古巴东部的一个地方等你。你必须把情报如期安全地送达，这事关美利坚合众国的利益。"

这时候，我才认识到瓦格纳上校并非开玩

笑，活生生的事实摆在面前，我的人生正面临着一次严峻的考验。但是，一种军人的崇高荣誉感充满了我的胸膛，已经无法容纳任何的犹豫和疑问。我静静地站立在那里，从总统手中接过信——给加西亚将军的信。

总统说完了以后，瓦格纳上校补充说道：“这封信有我们想了解的一系列问题。除此之外，要避免携带任何可能暴露你身份的东西。历史上有太多这样的悲剧，我们没有理由冒险。大陆军的内森·黑尔、美墨战争中的里奇中尉都是因为身上带着情报而被捕的，不仅牺牲了生命，而且机密情报又被敌人破译了。我们绝不能失败，一定要确保万无一失。没有人知道加西亚将军在哪里，你自己得想办法去寻找他们，以后所有的事全靠你自己了。”

“下午就去做准备，”瓦格纳上校紧接着补充说，“军需官哈姆菲里斯将送你到金斯敦上岸。之后，如果美国对西班牙宣战，许多战略

懒懒散散、漠不关心、马马虎虎的做事态度，似乎已经变成常态；除非苦口婆心、威逼利诱地叫属下帮忙，或者，除非奇迹出现，上帝派一名助手给他，没有人能把事情办成。

这种被动的行为，这种道德的愚行，这种心灵的脆弱，这种姑息的作风，有可能把这个社会带到三个和尚没水喝的危险境界。

计划都将根据你发来的情报，否则我们将一无所从。这项任务全权交给你一个人去完成，你责无旁贷，必须把信交给加西亚。火车午夜离开，祝你好运！”

我和总统握手道别。

瓦格纳上校送我出门时还在叮嘱：“一定要把信送给加西亚！”

我一边忙着做准备，一边考虑这项任务的艰巨性，我了解其责任重大而且复杂。现在战争还没有爆发，甚至我出发时也不会爆发，到了牙买加之后仍不会有战争的迹象，但稍稍有闪失都会带来无法挽回的后果。如果宣战，我的任务反倒减轻了，尽管危险并没有减少。

当这种情况出现时，当一个人的荣誉甚至他的生命处于极度的危险之中，服从命令是军人的天职。军人的命运掌握在国家的手中，但他的名誉却属于自己。生命可以牺牲，荣誉却不能丧失，更不能遭到蔑视。这一次，我却无

法按照任何人的指令行事，我得一个人负责把信送到加西亚的手中，并从他那里获得宝贵的情报。

和总统及瓦格纳上校的谈话，我不清楚秘书是否记录在案。但任务迫在眉睫，我已顾不了这么多了，脑海里一直在思考如何才能将信送给加西亚。

乘坐的火车中午12点零1分开车。我不禁想起一个古老的迷信，说星期五不宜出门。火车开车这天是星期六，但我出发时却是星期五。我猜想这可能是命运有意安排的。但一想到自己肩负的重任，就无暇顾及那么多了。于是，我的使命开始了。

牙买加是前往古巴的最佳途径，而且我听说在牙买加有一个古巴军事联络处，或许从那里可以找到一些加西亚将军的消息。于是，我乘上了阿迪伦达克号，轮船准时起航，一路上风平浪静。我尽量不和其他的乘客搭讪，沿途

只认识了一位电器工程师。他教会了我许多十分有趣的东西。由于我很少和其他乘客交流，他们就善意地给我起了一个绰号“冷漠的人”。

轮船进入古巴海域，我意识到了危险的存在。我身上带有一些危险的文件，是美国政府写给牙买加官方证明我身份的信函。如果轮船进入古巴海域前战争已经爆发，根据国际法，西班牙人肯定会上船搜查，并且逮捕我，当做战犯来处理。而这艘英国船也会被扣押，尽管战前它挂着一个中立国的国旗，从一个平静的港口驶往一个中立国的港口。

想到问题的严重性，我把文件藏到头等舱的救生衣里，看到船尾绕过海角才如释重负。

第二天早上9点我登上了牙买加的领土，四处设法找到了古巴军人联络处。牙买加是中立国，古巴军人的行动是公开的，因此很快就和他们的指挥官拉伊先生取得了联系。在那里，我和他及其助手一起讨论如何尽快把信送

给加西亚。

我于4月8日离开华盛顿，4月20日，我用密码发出了我已到达的消息。4月23日我收到密电:“尽快见到加西亚将军。”

接到密电几分钟后，我来到军人联络处的指挥部。在场的有几位流亡的古巴人，这些人我以前从未见过。当我们正在讨论一些具体问题时，一辆马车驶了过来。

“时候到了！”一些人用西班牙语喊着。

紧接着，我还没有来得及再说些什么，便被带到马车上。于是，一个军人服役以来最为惊险的一段经历开始了。

马车夫是一个沉默寡言的人，丝毫不理睬我，我说什么他都不听。马车在迷

宫般的金斯敦大街上疯狂地奔驰，速度丝毫不减。我长时间没有与人说话，心里憋得难受。当马车穿过郊区离城市越来越远时，我实在憋不住了拍了拍马车，想和他搭讪，但是他似乎根本没听见。

也许他知道我将要送信给加西亚，而他的任务就是尽快地把我送到目的地。我三番五次想让他能听我讲话，都无济于事。于是只好坐在原来的位置，任凭他把马车驶向远方。

大约又走了4英里路，我们进入一片茂密的热带森林，然后穿过一片沼泽地，进入平坦的西班牙城镇公路，停在一片丛林边上。马车门从外面被打开了，我看到一张陌生的面孔，然后就被要求换乘在此等候的另一辆马车。

真是太奇怪了。一切似乎都早已安排好，一句多余的话也不用说，一秒钟都

没耽搁。

一分钟之后我又一次踏上了征途。

第二位车夫和第一个一样沉默不语，他洋洋自得地坐在车驾上，任凭马车飞奔，我想和他说话的努力也是徒然。我们过了一个西班牙城镇，来到了克伯利河谷，然后再进入岛的中央，那里有条路直通圣安斯加勒比海碧蓝的水域。

车夫仍然默不做声。沿途我一直试图和他搭话，他似乎不懂我说的话，甚至连我做的手势也不懂。马车在飞奔。随着地势升高，我的呼吸更畅快了。太阳落山时，我们来到一个车站。

那些从山坡上向我滚落下来黑糊糊的东西是什么？难道西班牙当局预料到我会来，安排牙买加军官审讯我？一看到这幽灵般的东西出现，我就十分警觉。结果是虚惊一场。一位年长的黑人一瘸一拐走到马车前，推开车门，送

那些不能胜任，没有才能的人，都被摈弃在就业的大门之外，只有最能干的人，才会被留下来。为了自己的利益，使得每个老板只保留那些最佳的职员——那些能把信送给加西亚的人。

来美味的炸鸡和两瓶巴斯啤酒。他讲着一口当地的方言，我只能隐隐约约听懂几个单词，但我懂得他是在向我表示敬意，因为我在帮助古巴人民赢得自由。他给我送来吃的喝的，是想表达自己的一份心意。

可车夫却像是一个局外人，对炸鸡、啤酒和我们的谈话毫无兴趣。

换上两匹新马，车夫用力地抽打着马。我赶紧向黑人长者告别："再见了，老人家！"顷刻间，我们便以飞快的速度消失在夜幕中。

虽然我充分认识到自己所担负的送信任务的重要性，要刻不容缓地赶路，但依然被眼前的热带雨林所吸引。这里的夜晚和白天一样美丽，所不同的是，阳光下的热带植物花香四溢，而夜晚则是昆虫的世界，处处引人入胜。最壮丽的景观当数夜幕刚刚降临时，转眼间落日的余辉被萤火虫的磷光所代替，这些萤火虫以自己怪异的美装点着树木。当我穿越森林看到这

一独特景观时，仿佛进入了仙境。

一想到自己所肩负的使命，便无暇顾及眼前这些美丽的景色。马车继续向前飞奔，只是马的体力有些不支了。突然间，从林里响起了刺耳的哨声。

马车停了下来，突然一伙人从天而降，我被一帮武装到牙齿的人包围了。在英国管辖的地方遭到西班牙士兵的拦截，我并不害怕，只是这突然的停车使我格外紧张。牙买加当局的行动可能使这次任务失败。如果牙买加当局事先得到消息，知道我违反了该岛的中立原则，就会阻止我前行。要是这些人是英国军人那该多好呀！

很快我的这种担心就消除了。在小声地交谈了一番之后，我们又被放行上路了。

大约1小时后，我们的马车停在了一栋房屋前，房间里闪烁着昏暗的灯光，等待我们的是一顿丰盛的晚餐。这是联络处特意为我们准

备的。

首先为我们端上来的是牙买加朗姆酒。我已经记不得自己的疲倦，也感觉不到马车已经走了9个小时，行程70英里，人马换了两班，只感觉到朗姆酒的芳香。

接着又有指令传来。从隔壁屋里走出一个又高又壮的人，显得十分果断，留着长须，一个手指显然短了一截。他露出可靠的、忠诚的眼神，显示出其高贵的身份。他从墨西哥来到古巴，由于对西班牙旧制度提出质疑，被砍掉一个指头流放至此。他名叫格瓦西奥·萨比奥，负责给我做向导，直到把信送到加西亚将军手里。另外，他们还雇请当地人将我送出牙买加，这些人再向前走7英里就算完成任务了。只有一个人例外，那就是我的“助手”。

休息1小时后我们继续前行。离那座房子不到半小时的路程，又有人吹口哨，我们只好停下来，下了车，悄悄地走过一英里的荆棘之

路，走进一个长满可可树的小果园。这里离海湾已经很近了。

离海湾50码的地方停着一艘渔船，在水面上轻轻晃动。突然，船里闪出一丝亮光。我猜想这一定是联络信号，因为我们是悄无声息地到达的，不可能被其他人发现。格瓦西奥显然对船只的警觉很满意，做了回应。

接着我和军人联络处派来的人匆匆告别，至此，我完成了给加西亚送信的第一段路程。

我们涉水来到小船旁。上船后我才发现里面堆放了许多石块用来压舱，长方形的一捆一捆的是货物，但不足以使船保持平稳。我们让格瓦西奥当船长，我和助手当船员。船里的巨石和货物占了很大的空间，坐在里面感到很不舒服。

我向格瓦西奥表达了这样的愿望，希望能够尽快走完剩下的3英里路程。他们提供的热情周到的帮助，使我深感过意不去。他告诉我

船必须绕过海岬，因为狭小的海湾风力不够，无法航行。我们很快就离开了海岬，正赶上微风，险象环生的第二段行程就这样开始了。

毫不隐瞒地讲，我在与他们分别后，的确有过十分焦虑的时刻。在离牙买加海岸3英里以内的地方，如果我被敌人捉住，不仅无法完成任务，而且生命会危在旦夕。我惟一的朋友只有这些船员和加勒比海。

向北100英里便是古巴海岸，荷枪实弹的西班牙轻型驱逐舰经常在此巡逻。舰上装有小口径的枢轴炮和机枪，船员们都有毛瑟枪。他们的武器比我们先进，这一点是我后来了解到的。如果我们与敌人遭遇，他们随便拿起一件武器，就会让我们丧命。

但我必须成功，必须找到加西亚将军，亲手把信交给他。

我们的行动计划是，日落以前一直待在距离古巴海域3英里的地方，然后快速航行到某

个珊瑚礁上，等到天明。如果我们被发现，因为身上没有携带任何文件，敌人得不到任何证据，即使敌人发现了证据，我们可以将船凿沉。装满砾石的小船很容易沉下去，敌人想找到尸体也会枉费心机。

清晨，海面空气清爽宜人。劳累一天的我正想小睡一会儿，突然格瓦西奥大喊一声，我们全都站了起来。可怕的西班牙驱逐舰正从几英里外的地方向我们驶来，他们用西班牙语下令我们停航。

除了船长格瓦西奥一个人掌舵，其余的人都躲到船舱里。船长懒洋洋地斜靠在长舵柄上，将船头与牙买加海岸保持平行。

“他们也许认为我是一个从牙买加来的‘孤独的渔夫’，也就过去了。”船长头脑非常冷静。

事情果然被他言中。当驱逐舰离我们很近时，那位冒失的年轻舰长用西班牙语喊着：“钓

着鱼没有？”

船长也用西班牙语回答:“不,可怜的鱼今天早上就是不上钩！”

假如这位海军少尉——也许是别的什么军衔，稍稍动动脑子，他就会抓到“大鱼”，我今天也就没机会讲这个故事了。

当驱逐舰远离我们一段距离后，格瓦西奥命令我们吊起船帆，并转过身来对我说:“如果先生累了想睡觉，那现在就可以放心地睡了，危险已经过去了。”

接下来的6个小时我睡了个安稳觉。要不是那些灼人的阳光晃眼，我也许还会在石头垫上多睡一会儿。

那些古巴人用他们颇感自豪的英语问候我:“睡得好吗？罗文先生！”这里整天烈日炎炎，把整个牙买加都晒红了。绿宝石般的天空万里无云，岛的南坡到处是美丽的热带雨林，美不胜收，简直就是一幅美妙神奇的风景画，

而岛的北部比较荒凉。一大块乌云笼罩着古巴。我们焦急地看着它，然而丝毫没有消失的迹象。风力越来越大，正好适宜航行。我们的小船一路前行，船长格瓦西奥嘴里叼着根雪茄烟，愉快地和船员开着玩笑。

大约下午4点，乌云散尽。金色的阳光洒在西拉梅斯特拉山上，使山更显得格外庄严美丽。如诗如画的风景使我们仿佛进入了艺术王国。这里花团锦簇、山海相依、水天一色，浑然天成，世界上再也找不到这样的地方了。在海拔8000英尺的山上，竟然有绵延数百英里的绿色长廊。

但我无暇观赏这些美景，格瓦西奥下令收帆减速，我不解其意。他们回答："我们离战区越来越近，我们要充分利用在海上的优势，避开敌人，保存实力。再往前走，被敌人发现，无疑是白白送命。"

我们急忙检查武器。我只带了史密斯－威

我钦佩的是那些不论老板是否在办公室都会努力工作的人，我也敬佩那些能够把信送给加西亚的人。

森左轮手枪，于是他们发给我一支来福枪。船上的人，包括我的助手都有这种武器。水手们护卫着桅杆，可以随手拿起身边的武器。这次任务中最为严峻的时刻到了——到目前为止我们的行程是有惊无险。危急关头就要来临，被逮捕意味着死亡，给加西亚送信的使命也将功亏一篑。

离岸边大约有25英里，但看上去好像近在咫尺。午夜时分，船帆开始松动，船员开始用桨划船。正好赶上一个巨浪袭来，没有费多大力气，小船便被卷入一个隐蔽的小海湾。我们摸黑把船停在离岸上有50码的地方。我建议大家立即上岸，但格瓦西奥想得更加周到："先生，我们腹背受敌，最好原地不动。如果驱逐舰想打探我们的消息，他们一定会登上我们经过的珊瑚礁，那时候我们上岸也不晚。我们穿过昏暗的葡萄架，就可以光明正大地出入了。"

笼罩在天边的热浪逐渐散尽，我们可以看

到大片葡萄、红树、灌木丛和刺莓，差不多都长到了岸边。虽然看得不是十分清楚，但给人一种朦胧的美。太阳照在古巴的最高峰，顷刻间，万象更新，雾霭消失了，笼罩在灌木丛的黑影不见了，拍打着岸边的灰暗的海水魔术般地变绿了。光明终于战胜了黑暗。

船员们忙着往岸上搬东西。看到我默默地站在那里似乎很疲倦，格瓦西奥轻声对我说："你好，先生。"其实那时我正在想着一位曾经看过类似景物的诗人写下的诗句："黑暗的蜡烛已熄灭／愉快的白天从雾霭茫茫的山顶上／踮着脚站了起来。"

在这样一个美妙的早晨，我伫立在岸边，不禁心潮起伏，仿佛在我的面前有一艘巨大的战舰，上面刻着我最崇拜的人——美洲的发现者哥伦布的名字，一种庄严的使命感油然而生。

很快我的美梦就结束了，货也卸完了，我

被带到岸上，小船被拖到一个狭小的河口，扣过来藏到丛林里。一群衣衫褴褛的古巴人聚集在我们上岸的地方。他们从哪里来，如何知道我们是自己人的，对我来说一直是一个谜。他们扮成了装运工，但在他们身上能看到当兵的印记，一些人身上有毛瑟枪子弹射中的疤痕。

我们登陆的地方好像是几条路的交汇点，从那里可通向海岸，也可以进入灌木丛。向西走约1英里，可以看到从植被中突现的小烟柱和袅袅的炊烟。我知道这烟是从古巴难民熬盐用的大锅里冒出来的，这些人从可怕的集中营里逃出来，躲进了山里。

我的第二段行程就这样结束了。

如果说前面有惊无险的话，现在真正的危险来临了。西班牙军队正在残忍地进行大屠杀。这些毫无人性的刽子手见人就杀，从携带武器的军人到手无寸铁的难民，一个都不放

过。余下的路程将更加艰难，但是我却没有时间考虑这些，我必须立即上路！

这里的地形比较简单，通往北部的地方有一条绵延约1英里的平坦土地被丛林覆盖着。男人们忙着开路。古巴的路网就像迷宫。炎炎的烈日烘烤着我们。我真羡慕一起同行的伙伴，他们身上没有多余的衣裳。

我们继续前行。海和山遮住了我们的视线，浓密的叶子、曲折的小路、灼热的阳光，使我们每前进一步都要付出巨大的代价。这里到处是青翠的灌木丛，但离开岸边到达山脚下就看不到这样的景色了。我们很快就到了一个空旷的地方，并意外地发现几棵椰子树。椰子汁新鲜又凉爽，对口渴得要命的我们来说，简直是灵丹妙药。

此地不能久留，夜幕降临以前我们还要走几英里路。翻过几个陡峭的山坡，进入另一个隐蔽的空地，很快我们就进入了真正的热带雨

林。这里的路比较平坦，微风吹过，尽管察觉不到，却也给人以心旷神怡的感觉。

穿过森林就进入波迪罗到圣地亚哥的“皇家公路”。当我们靠近公路时，我发现同伴们一个个消失在丛林里，只剩下我和格瓦西奥两人，正想转过身去询问他，却看到他将手指放到嘴边示意我不要出声，赶快拿起枪，然后他也消失在丛林里。

我很快明白了他的用意。耳边响起了马蹄声，西班牙骑兵的军刀声，以及偶尔发出的命令声。

如果没有高度的警惕性，也许早已走上公路，恰好与敌人短兵相接。

我敏捷地扳动来福枪的扳机，焦急地等待事情发生，等待听到枪声，但没有听到。我们的人一个个都回来了，格瓦西奥是最后一个。

“我们分散开，目的是麻痹敌人，不被他们发现。我们都分头行动，假如枪声响起，敌人

一定会以为这是我们设下的埋伏。”格瓦西奥露出可惜的神色，“真想戏弄敌人一下，但任务第一，游戏第二！”

在起义军经常出没的地区，人们有个习惯，他们点起火用灰烤红薯，经过这里的人饿了就可以拿起来吃。烤熟的红薯一个个传给饥饿的战士，然后把火埋掉，继续前进。

在吃红薯时，我想起了古巴的英雄们。他们之所以在艰苦的条件下能取得一个又一个的胜利，是因为他们热爱自己的祖国。有一种发自内心的争取民族解放的强烈信念支撑着他们，与敌人展开不屈不挠的斗争。我们的先辈和他们一样，为了民族的尊严顽强奋战。想到自己所肩负的使命能够帮助这些爱国的志士们，作为我们国家的士兵，我感到无上光荣。

一天的行程结束了，我注意到一些穿着十分奇怪的人。

“他们是谁？”我问道。

文明，就是孜孜不倦地寻找这种人才的一段长久过程。这种人无论有什么样的愿望都能够实现。

“他们是西班牙军队的逃兵，”格瓦西奥回答，“他们从曼查尼罗逃出来，不堪忍受军官的虐待和饥饿。”

逃兵有时也有用，但在这旷野中，我对他们持怀疑态度。谁能保证他们当中没有奸细，不会向西班牙军队报告一个美国人正越过古巴向加西亚将军的营地进发？敌人难道不是在想方设法阻止我完成任务吗？所以我对格瓦西奥说：“仔细审问这些人，并看管好他们。”

“是，先生。”他回答。

为了确保任务万无一失，我下达了这个命令。实际证明我的这一想法是对的，有人的确想逃走去向西班牙人报告。这些人并不知道我的使命，但有两个人引起我的怀疑。他们是间谍，我险些被他们杀害了。那天晚上有两个人离开营地钻进灌木丛，想去给西班牙人报告有一个美国军官在古巴人的护送下来到这里。

半夜，我突然被一声枪响惊醒。我的吊床

前突然出现了一个人影，我急忙站起来。这时对面又出现一个人影，很快第一个人被大刀砍倒，从右肩一直砍到肺部。这个人临死前供认，他们已经商量好，如果同伴没有逃出营地，他就杀死我，阻止我完成任务。哨兵开枪打死了这些人。

第二天晚些时候，我们才得到足够的马和马鞍。很长时间我们都无法行进，当时我十分焦急，但无济于事。马鞍有些硬，不好用。我有些不耐烦地问格瓦西奥，能不能不用马鞍行走。“加西亚将军正在围攻古巴中部的巴亚摩，”他回答道，“我们还要走很远才能到达他那里。”

这也就是我们到处找马鞍和马饰的原因。一位同伴看了一下分给我的马，很快为我安上了马鞍，我非常敬佩这位向导的智慧。我们骑马走了四天，假如没有马鞍，我的结局一定很惨。我要赞美这匹瘦马，它虎虎生风，美国平

我们也应该同情那些努力去经营一个大企业的人，他们不会因为下班的铃声而放下工作。他们因为努力去使那些漠不关心、偷懒被动、没有良心的员工不太离谱而日增白发。如果没有这份努力和心血，那些员工将挨饿和无家可归。

贫穷是不好的，贫苦是不值得推介的，但并非所有的老板都是贪婪者、专横者，就像并非所有的人都是善良者一样。

原上任何一匹骏马都难以和它相媲美。

离开了营地我们沿着山路继续向前走。山路弯弯，如果不熟悉道路，定然会陷入绝望的境地。但我们的向导似乎对这迂回曲折的山路了如指掌，他们如履平地般行进着。

我们离开了一个分水岭，开始从东坡往下走，突然遇到一群小孩和一位白发披肩的老人，队伍停了下来。族长和格瓦西奥交谈了几句，森林里出现了“万岁”的喊声，是在祝福美国，祝福古巴和“美国特使”的到来，真是令人感动的一幕。我不清楚他们是如何知道我的到来的。但消息在丛林中传得很快，我的到来使这位老人和这些小孩十分高兴。

在亚拉，一条河沿山脚流经这里，我意识到我们又进入了一个危险地带。这里建有许多战壕，用来保护峡谷。在古巴的历史上，亚拉是一个伟大的名字。这里是古巴1868-1878年“十年独立战争”的发祥地，古巴士兵时刻都在

守着这些战壕。

格瓦西奥相信我的使命一定能完成。

第二天早晨，我们开始攀登西拉梅斯特拉山的北坡。这里是河的东岸，我们沿着风化的山脊往前走。这里很可能有埋伏，西班牙人的机动部队很可能把这里变成我们的葬身之地。

我们顺着河岸，沿着蜿蜒曲折的山路前行。在我的一生中，从未见过如此野蛮地对待动物，为了让可怜的马走下山谷，我们残酷地抽打它们。但我们也没有别的办法，信必须及时送给加西亚。战争期间，当成千上万人的自由处于危险中时，马遭点罪又有什么呢？我真想对这些牲畜说声“对不起”，但我没有时间多愁善感。

我所经历的最为艰难的旅程总算告一段落。我们停在一个小草房前，周围是一片玉米地，位于基巴罗的森林边缘。椽子上挂着刚砍下的牛肉，厨师们正忙着准备一顿大餐，庆贺

美国特使的到来。大餐既有鲜牛肉，又有木薯面包。我到来的消息传遍了这里的每个角落。

刚吃完丰盛的大餐，忽然听到一阵骚乱，森林边上传来说话声和阵阵马蹄声。原来是瑞奥将军派卡斯特罗上校代表他来欢迎我，而将军和一些训练有素的军官将在早上赶到。上校下马的姿势十分优美，动作十分敏捷，就像赛马运动员。他的到来使我确信，我又遇到了一个经验丰富的好向导。卡斯特罗上校赠送我一顶标有“古巴生产”的巴拿马帽。

第二天早上瑞奥将军到了。他被称做“海岸将军”，皮肤黝黑，是印第安人和西班牙人的混血儿。他步履矫健，身姿挺拔；他足智多谋，多次成功地击退西班牙人的进攻；他擅长游击作战，与敌周旋，给敌人以沉重的打击；敌人多次想抓住他，但都无功而返。

这一次，瑞奥将军派两百人的骑兵部队护送我。这些骑兵训练有素，骑术相当高超。很

快我们又重新进入了森林。森林里的小路太窄，时常被树干所阻碍，丛林里的常青藤经常刮破我们的脖子，我们不得不一边骑马一边清理障碍物。向导步伐稳健，着实让我感到惊奇。我通常的位置是在队伍的中部，有时真想追上他，观察他跋山涉水的英姿。他是一名黑人，皮肤像煤一样黑亮，名叫迪奥尼斯托·罗伯兹，是古巴军队的一名中尉。他善于骑马踏过荆棘，穿过茂密的森林。他手拿宽刃大刀，为我们开路，砍下一片片藤蔓，仿佛永远不知疲倦。

4月30日晚上，我们来到巴亚莫河畔的瑞奥布伊，离巴亚莫城还有20英里。这时格瓦西奥又出现了，脸上露出满意的微笑。

“先生，告诉你一个好消息，加西亚将军就在巴亚莫。西班牙军队已撤退到考托河一侧，他们的最后堡垒在考托。”

我急于与加西亚将军取得联系，于是建议夜行，但我的建议没有被采纳。

1898年5月1日是一个不寻常的日子。当我在古巴森林睡觉的时候，美国海军上将正率军冒着枪林弹雨进入马尼拉湾，向西班牙战舰发起进攻。就在给加西亚送信的途中，他们用大炮击沉了西班牙的战舰，形成对菲律宾首都巨大的威胁。

第二天凌晨我们踏上征途，从山坡上往下骑直达巴亚莫平原。沿途我看到饱经战火的乡村满目疮痍。这些被战火毁坏的废墟，是西班牙军队罪恶的铁证。我们骑马走了100英里，终于来到一片平原。我们经历了无数艰难险阻，顶着烈日，跨过无数荆棘，来到了这片美丽的土地，虽然它饱受战火煎熬，但依然是一片充满希望的热土。一想到我们即将到达目的地，所有的苦难都抛在脑后。任务即将完成，筋疲力尽的马也仿佛在分享我们急迫的心情。

我们来到曼占尼罗至巴亚莫的“皇家公路”，遇到了许多衣衫褴褛却兴高采烈的人们，

他们正在朝城里冲去。唧唧喳喳的交谈声使我联想到自己在丛林中遇到的那些鹦鹉，他们终于可以返回到阔别已久的家园了。

巴亚莫原是一个拥有3万人口的城市，但现在却成了一个只有2000人的小村庄。在巴亚莫河两岸，西班牙人建了很多碉堡，首先映入眼帘的就是这些小要塞，里面的烟火还没有熄灭。当古巴人返回这曾经繁荣的城市时，他们便将这些碉堡付之一炬。

我们在河岸列队，在格瓦西奥和罗伯兹与士兵说完话后，我们就继续行进。我们停在河边，让马饮水，准备养精蓄锐，走完最后一段通往古巴指挥官营地的路程。

引用当天报纸发布的消息：“古巴将军说罗文中尉的到来在古巴军队中引起巨大轰动。罗文中尉骑着马，在古巴向导的陪同下来到古巴。”

几分钟以后我来到了加西亚将军的驻地。

漫长而惊险的旅程终于结束了。苦难、失败和死亡都离我们远去。

我成功了！

我来到加西亚将军指挥部门前，看到古巴的旗帜在飘扬。我代表我国政府在这样的地方见到加西亚将军，感到十分兴奋。我们排成一队，纷纷下马。将军认识格瓦西奥，所以卫兵让格瓦西奥进去了。不一会儿，他和加西亚将军一同走出来。将军热情地欢迎我，并邀请我和助手进去。将军将我一一介绍给他的部下，这些军官全都穿着白色军装，腰间佩带武器。将军解释说："很抱歉我出来晚了，因为我在看从牙买加古巴军人联络处送来的信，这是格瓦西奥给我送来的。"

幽默无所不在。联络处送来的信中称我为"密使"，可翻译却把我翻译成"自信的人"。

早饭过后，我们开始谈论正事。我向加西亚将军解释说，我所执行的纯属军事任务，尽

管离开美国时总统带来了书信。总统和作战部想知道有关古巴东部形势的最新情报(曾派来两名军官来到古巴中部和西部,但他们都没到达目的地)。美国有必要了解西班牙军队占领区的情况,包括西班牙兵力的分布和人数、他们的指挥官特别是高级指挥官的性格、西班牙军队的士气、整个国家和每个地区的地形、路况信息,以及任何与美国作战部署有关的信息。其中最重要的一点是加西亚将军建议展开一场美军与古巴军队联合作战的战役。我还告诉将军我国政府希望能得到关于古巴军队兵力方面的信息,还有我是否有必要留下来亲自了解所有这些信息。加西亚将军沉思了一会儿,让所有的军官退下,只留下他的儿子加西亚上校和我。大约3点钟将军回来告诉我,他决定派3名军官陪我回美国。这3名军官都是古巴人,训练有素,经验丰富,知识渊博,了解自己的国家,他们完全有能力回答以上所有的问

题。即便我留在古巴几个月，也不一定能做出一个完整的报告。因为时间紧迫，美国越早获得情报，对双方越有利。

他进一步解释说，他的部队需要武器，特别是大炮，主要用来摧毁碉堡，部队还缺少弹药及步枪，他希望能重新武装他的队伍。

克拉左将军，一位著名的指挥官，赫南得兹上校，约塔医生，非常熟悉这里的疾病特征，还有两名水手将一同随我返回。如果美国决定为古巴提供军事装备，他们在运送物资的远征中一定能发挥作用。

"你还有什么问题吗？"

在这长途跋涉的9天里，我的脑海里一直装着许多问题。我多么希望能踏遍古巴的土地，给总统一个满意的答案。但面对将军的问话，我毅然地回答："没有！先生。"

加西亚将军有着敏锐的洞察力。他的建议使我免除了几个月的劳累，为我们的国家争取

了时间，也为古巴人民赢得了时间。

接下来的两个小时里，我受到了非正式的热情接待。正式的宴会在5点钟进行，宴会结束后，我被护送者送到大门口。我走到大街上，很惊奇没有看到原来的向导和原来的同伴。格瓦西奥想陪我回美国，但加西亚将军没有同意，因为南部海岸的战争还需要他，而我要从北部返回。我向将军表达了我对格瓦西奥和他的船员的感激之情。我以纯拉丁式的拥抱与将军告别，然后骑上马，与3个护卫者一起向北疾驰。

我终于把信交给了加西亚将军！

给加西亚送信的行程充满了危险，与我返回的行程相比也更重要得多。我见识了这个美丽的国度，一路上得到了很多人的帮助，他们给我做向导，勇敢地保护着我。但是战争还远没有结束，西班牙的士兵还在到处巡逻，不放

过每一个海岸，不放过每一个海湾，每一条船。他们随时都可能把我当作一个间谍，一旦被发现就意味着死亡。面对咆哮的大海，我在想，成功永远不是一次航行。

但是我们必须努力，只有努力才能成功，不然我的使命就会前功尽弃。

返程的路上，同伴们也和我一样担惊受怕。我们小心翼翼地越过了古巴，朝北行进，来到西班牙军队控制下的考托。这是一个河口，停泊着几艘小炮艇，对面有一个巨大的碉堡，里面装着大炮，瞄准河口。

如果被西班牙士兵发现，我们就全完了。但是艺高人胆大，勇敢成了我们的救星。最危险的地方往往是最安全的。敌人哪里会想到我们会在这种危险的地方上岸，去执行一项艰巨的任务。

我们所搭乘的是一只小船，体积只有 104 立方英尺。我们用这只船航行了 150 英里来到

了北部的拿骚岛，西班牙的快速驱逐舰经常在此巡逻。

完成任务的使命感让我们无所畏惧。由于船无法承载6个人，约塔医生返回巴亚莫。我们5个人将冒着枪林弹雨，凭机智取胜。

就在我们准备出发的时候，风暴突然降临。在如此波涛汹涌的海上我们不能轻举妄动，但是即使原地等候也同样危险。现在是满月，假如飓风把云吹散，敌人就会发现我们的行踪。

但是，命运掌握在我们自己手中。

11点钟我们上了船，天空乌云密布，遮住了月亮，敌人无法发现我们。我们一人掌舵，四人划桨。渐渐地已看不见远去的要塞，或者更精确地说，要塞里的人没有发现我们。我们在水中艰难跋涉，总算没有听到大炮的轰鸣声和机枪的扫射声。我们的小船摇摇晃晃，像个蛋壳，有好几次差点颠覆。但水手们了解水性，装

在船里的压船物经受住了考验，使我们得以继续航行。

极度的疲倦，无法摆脱的航行的单调，我们几乎要睡着了。

不久，一个巨浪袭来，差点把小船掀翻，小船浸满了水，大家不再有睡意。多么难熬的漫漫长夜啊！正在这时，太阳从远方的地平线上钻了出来。

“快看，先生！”舵手们在喊。一种警惕性使我们顿时焦虑不安。难道是一艘西班牙战舰？如果真是那样，我们又在劫难逃了。

舵手用西班牙语喊着，其他同伴应和着。

真是西班牙战舰？

不是，是桑普森海军上将的战舰，正向东航行去抗击西班牙战舰。

我们长长地松了一口气！

那一天真是酷热难耐，谁也睡不着。尽管美国战舰出现了，但是西班牙的炮艇很快就能

追上我们，将我们逮捕。夜幕降临，我们5个人疲惫极了，几乎支撑不住了，但是我们丝毫不能懈怠。夜里刮起了风，风力很强劲，波涛汹涌。我们竭尽全力，使小船不至于倾覆。第二天早晨是5月7日，危险总算解除了。大约上午10点，我们来到巴哈马群岛安得罗斯岛的南端一个名叫克里基茨的地方。我们总算可以登陆，短暂地休息一下了。

当天下午，在13个黑人船员的协助下，我们彻底地检查和清理了小船。这些黑人操着古怪的语言，根本听不懂，但是手势语是通用的。小船里装着些猪肉罐头和手风琴。我虽然疲惫到了极点，但依然睡不着，刺耳的手风琴声使我无法入眠。

第二天下午，当我们向西航行时，被检疫官抓住，关到豪格岛上。他们怀疑我们得了古巴黄热病。

第二天，我得到美国领事麦克莱恩先生的

口信。5月10日在他的安排下，我们获释了。5月11日，这只“无畏号”小船驶离码头。

航行到佛罗里达海域可就没那么幸运了。12日一整天无风，小船无法航行。直到夜晚微风吹动，才顺利到达基维斯特。

当晚我们乘火车到塔姆帕，又在那里换乘火车前往华盛顿。

我们按预定的时间到达。我向作战秘书罗塞尔·阿尔杰作了汇报。他认真听了我的讲述，并让我直接向迈尔斯将军报告。迈尔斯将军接到我的报告后，给作战部写了一封信。信中说：“我推荐美国第十九步兵部队的一等中尉安德鲁·罗文为骑兵团上校副官。罗文中尉完成了古巴之行，在古巴起义军和加西亚将军的协助下，为我国政府送来了最宝贵的情报。这是一项艰巨的任务，我认为罗文中尉表现出了英勇无畏的精神和沉着机智的作风，他的精神将永载史册。”

我陪同迈尔斯将军参加了一次内阁会议。会议结束时我收到了麦金莱总统的贺信，他感谢我把他的愿望传达给加西亚将军，并高度评价了我的表现。

他信里的最后一句话是："你勇敢地完成了任务！"而我则认为，我只不过是完成了一个军人应该完成的任务。

不要考虑为什么，只要服从命令。我已经把信送给了加西亚将军。

COL. ANDREW S. ROWAN
1857-1943

附录 1

安德鲁·罗文介绍

在美国陆军史上，安德鲁·罗文上校创造了一个可歌可泣的奇迹——把信送给加西亚。

安德鲁·罗文，弗吉尼亚人，1881 年毕业于西点军校。作为一个军人，他与陆军情报局一道完成了一项重要的军事任务——将信送给加西亚，被授予杰出军人勋章。

立功之后，他曾服役于菲律宾，因作战勇敢而受到嘉奖。从军队退役后，他在旧金山度过了他的余生，于 1943 年 1 月 10 日逝世，终年 85 岁。

罗文的事迹通过《致加西亚的信》一本小册子传遍了全世界，并成为敬业、服从、勤奋的象征。

COL. ANDREW S. ROWAN
1857-1943

附录2

英文版原文

A Message To Garcia

by Elbert Hubbard

1899

In all this Cuban business there is one man stands out on the horizon of my memory like Mars at perihelion.

When war broke out between Spain and the United States, it was very necessary to communicate quickly with the leader of the Insurgents. Garcia was somewhere in the mountain fastnesses of Cuba - no one knew where. No mail or telegraph message could reach him. The President must secure his co-coperation, and quickly. What to do!

Some said to the President, " There's a fellow by the name of Rowan who will find Garcia for you, if anybody can."

Rowan was sent for and given a letter to be delivered to Garcia. How the " fellow by the name of Rowan" took the letter, sealed it up in an oilskin pouch, strapped it over his heart, in four days landed by night off the coast of Cuba from an open boat, disappeared into the jungle, and in three weeks came out on the other side of the Island, having traversed a hostile country on foot and delivered his letter to Garcia - arc things I have no special desire now to tell in detail. The point that I wish to make is this: McKinley gave Rowan a letter to be delivered to Garcia; Rowan took the letter and did not ask, "Where is he at?"

By the Eternal! there is a man whose form should be cast in deathless bronze and the statue placed in every college of the land. It is not book-learning young men need, nor instruction about this and that, but a stiffening of the vertebrae which will cause them to be loyal to a trust, to act promptly, concentrate their energies: do the thing - "Carry a message to Garcia."

General Garcia is dead now, but there are other Garcias. No man who has endeavored to carry out an enterprise where many hands were needed, but has been well-nigh appalled at times by the imbecility of the average man - the inability or unwillingness to concentrate on a thing and do it.

Slipshod assistance, foolish inattention, dowdy indifference, and half-hearted work seem the rule;

and no man succeeds, unless by hook or crook or threat he forces or bribes other men to assist him; or mayhap, God in His goodness performs a miracle, and sends him an Angel of Light for an assistant.

You, reader, put this matter to a test: You are sitting now in your office - six clerks are within call. Summon any one and make this request:"Please look in the encyclopedia and make a brief memorandum for me concerning the life of Correggio." Will the clerk quietly say, "Yes, sir." and go do the task?

On your life he will not. He will look at you out of a fishy eye and ask one or more of the following questions: Who was he? Which encyclopedia? Where is the encyclopedia? Was I hired for that? Don't you mean Bismarck? What's the matter with Charlie doing it? Is he dead? Is there any hurry? Shan't I bring you the book and let you look it up yourself? What do you want to know for?

And I will lay you ten to one that after you have answered the questions, and explained how to find the information, and why you want it, the clerk will go off and get one of the other clerks to help him try to find Garcia - and then come back and tell you there

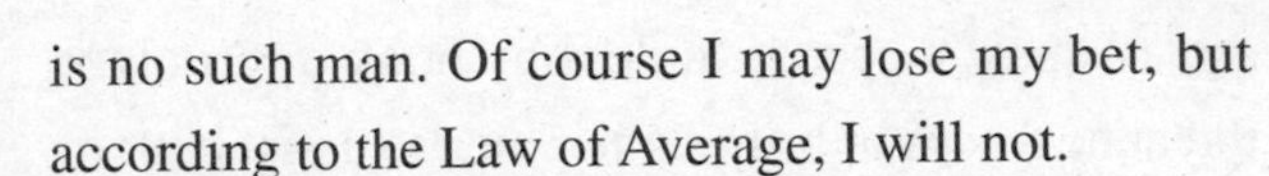

is no such man. Of course I may lose my bet, but according to the Law of Average, I will not.

Now, if you are wise, you will not bother to explain to your "assistant" that Correggio is indexed under the C's, not in the K's, but you will smile very sweetly and say, "Never mind," and go look it up yourself. And this incapacity for independent action, this moral stupidity, this infirmity of the will, this unwillingness to cheerfully catch hold and lift -these are the things that put pure Socialism so far into the future.

If men will not act for themselves, what will they do when the benefit of their effort is for all?

A firstmate with knotted club seems necessary; and the dread of getting "the bounce" Saturday night holds many a worker to his place. Advertise for a stenographer, and nine out of ten who apply can neither spell nor punctuate - and do not think it necessary to.

Can such a one write a letter to Garcia?

"You see that bookkeeper," said the foreman to me in a large factory. "Yes, what about him?" "Well he's a fine accountant, but if I'd send him up town

on an errand, he might accomplish the errand all right, and on the other hand, might stop at four saloons on the way, and when he got to Main Street would forget what he had been sent for." Can such a man be entrusted to carry a message to Garcia?

We have recently been hearing much maudlin sympathy expressed for the "downtrodden denizens of the sweat-shop" and the "homeless wanderer searching for honest employment", and with it all often go many hard words for the men in power.

Nothing is said about the employer who grows old before his time in a vain attempt to get frowsy ne'er-do-wells to do intelligent work; and his long, patient striving after "help" that does nothing but loaf when his back is turned.

In every store and factory there is a constant weeding-out process going on. The employer is constantly sending away "help" that have shown their incapacity to further the interests of the business, and others are being taken on. No matter how good times are, this sorting continues: only, if times are hard and work is scarce, the sorting is done finer - but out and forever out the incompetent and unworthy go. It is

the survival of the fittest. Self-interest prompts every employer to keep the best - those who can carry a message to Garcia.

I know one man of really brilliant parts who has not the ability to manage a business of his own, and yet who is absolutely worthless to anyone else, because he carries with him constantly the insane suspicion that his employer is oppressing, or intending to oppress him. He cannot give orders, and he will not receive them. Should a message be given him to take to Garcia, his answer would probably be, "Take it yourself!"

Tonight this man walks the streets looking for work, the wind whistling through his threadbare coat. No one who knows him dare employ him, for he is a regular firebrand of discontent. He is impervious to reason, and the only thing that can impress him is the toe of a thick-soled Number Nine boot.

Of course, I know that one so morally deformed is no less to be pitied than a physical cripple; but in our pitying let us drop a tear, too, for the men who are striving to carry on a great enterprise, whose working hours are not limited by the whistle, and

whose hair is fast turning white through the struggle to hold in line dowdy indifference, slipshod imbecility, and the heartless ingratitude which, but for their enterprise, would be both hungry and homeless.

Have I put the matter too strongly? Possibly I have; but when all the world has gone a-slumming I wish to speak a word of sympathy for the man who succeeds - the man who, against great odds, has directed the efforts of others, and having succeeded, finds there's nothing in it: nothing but bare board and clothes. I have carried a dinner-pail and worked for day's wages, and I have also been an employer of labor, and I know there is something to be said on both sides. There is no excellence, per se, in poverty; rags are no recommendation; and all employers are not rapacious and high-handed, any more than all poor men are virtuous. My heart goes out to the man who does his work when the "boss" is away, as well as when he is at home. And the man who, when given a letter for Garcia, quietly takes the missive, without asking any idiotic questions, and with no lurking intention of chucking it into the nearest sewer, or of

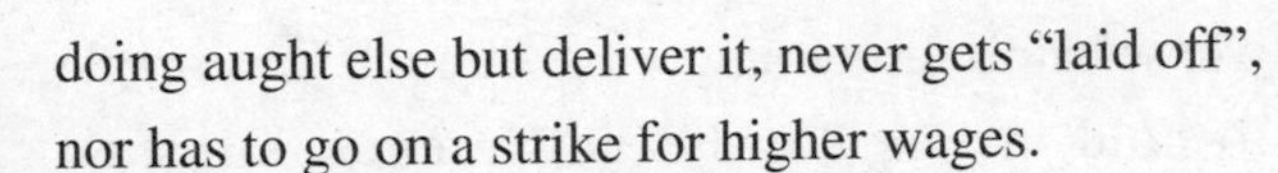

doing aught else but deliver it, never gets “laid off”, nor has to go on a strike for higher wages.

Civilization is one long, anxious search for just such individuals.

Anything such a man asks shall be granted. He is wanted in every city, town and village - in every office, shop, store and factory. The world cries out for such,he is needed and needed badly - the man who can “Carry a Message to Garcia.”

So who will send a letter to Garcia?

媒体和名人评论

这是一本十分富有灵感的读物，我把这本书推荐给每个人。

——《华盛顿邮报》

这是一个关于某人独立做某事的奇妙的故事。它被翻译成世界上每一种语言，并且成为了成功的典范。

——《纽约时报》

能把信带给加西亚的人是很稀少的。很多人满足于平庸的现状，在推诿、偷懒、取巧中应付自己的生活，却并不知道：想要成功就必须选择生活而不是让生活选择你。对于每一个

人来说，生活需要的不是问题，而是解决问题。

——《光明日报》

罗文通过他不畏艰险的敬业精神，影响并推动了一项事业的发展，正如许多公司中那些孜孜不倦、埋头苦干的领导者和员工一样，他们的敬业精神有力地推动了公司事业的发展。

——《南方都市报》

一本与“奶酪理论”截然不同，提倡“一盎司忠诚等于一磅智慧”的小册子——《致加西亚的信》在上海悄悄走红，一些公司的老板纷纷将该书赠送给员工作为激励敬业精神的教材。

——《新明晚报》

我希望有一天早晨，在每个公司的员工桌子上，都会端端正正地摆上一本《致加西亚的

信》，而不是《谁动了我的奶酪》。我希望借这本书，中国能够掀起一场关于诚信的讨论，这种热烈讨论的场面能够出现在每一家公司、商店，以及每一个政府机构里。

——《中国经营报》

《谁动了我的奶酪》是管理者炒掉员工的最后通牒，《致加西亚的信》则是老板寄予厚望的象征。

——威廉·亚德利（美国著名管理专家）

一位银行总裁推荐给我这本细长的书，他曾要求自己所有的雇员阅读它。我发现书中有许多概念正是我所需要的，于是也要求公司每一个新聘用的员工都要读这本书，并且加以讨论。

——拉尔夫·库米（斯坦银行总裁）

在遵照我的意见读完这本书后，一位下属打电话问我，是否试图告诉他一些东西。

我的回答是：是的，我正在告诉你一些东西，那就是敬业和忠诚。

——约翰·莫里森（卡里斯公司总裁）

因为有了这位英雄，阿尔伯特·哈伯德才创作了不朽的名作《致加西亚的信》。

让我们通过这部作品获取一种进取心，在这种追求中获得一种动力。我们自己即使付出再多的代价，为了国家也再所不惜。

——哈里斯（著名的人力资源管理专家）

网上读者评论

我曾给别的律师当助手，现在则有两位助手为我工作。以前总是觉得老板太坏，现在觉得员工太懒，太不主动。读了这本书后，我充分地认识到，最重要是为别人着想，站在别人的立场思考问题。

那些道德上存在缺陷的人，一边拿着老板的工资，一边在想着如何挖公司的墙角，抢走公司的客户，是不会有前途的。

——流金岁月

人们往往在和公司讲条件时，使自己停止了前进的脚步，反而失去了更多。

——马蹄莲

姑且不论“忠诚、敬业、道德”这几个要素。受人之聘，为人做事，服从安排，尽职尽责，完成任务是天经地义的。这是对“送信人”的基本要求。

——成都的海

一些大学生眼高手低，什么都做不好；讲起来头头是道，行动起来却束手无策。建议将此书编入大学思想教材里！

——思想者

责任好比河床，自由好比河床上的激流，人最大的悲哀就是没有使命感，没有责任。

——不肯老去的人

是的，我们的社会需要“忠诚”、“敬业”、“服从”、“信用”。但对于管理者而言，仅仅要

求被管理者这样做是不够的，应该更多地考虑如何创造一个“忠诚”、“敬业”、“服从”、“信用”的环境。

——黑蝴蝶迷

这是老板为员工创造的一种新的宗教——“加西亚信教”。该教的核心是老板的话是企业的一切。

——无名氏

忠诚、敬业、服从的前提是相互信任。一个老板、一个单位、一个社会，只有讲信用，才会得到“能够把信送给加西亚”的人。

——冬燕

无条件地接受命令，是军人应有的职责。现代公司的领导者，如果以军人的标准来要求自己的员工，是非常愚蠢的。

——悠悠我心

布什称："《致加西亚的信》是本可怕的书。"这半句话是对的；但是后半句"它把一切都说了"则不尽然。忠诚、敬业、服从是美德，但惟有在尽可能完善的规则中，信任才能建立，美德才能无虞。永远不会有完美，心灵鸡汤式的教条是脆弱的。

——红鱼